Die

Früchte

heimischer und kultivierter Laubgehölze

im Vergleich

QUELLE & MEYER
BESTIMMUNGSKARTEN

1. Hunds-Rose
Rosa canina

2. Runzel-Rose
Rosa rugosa

3. Mehlbeere
Sorbus aria

4. Eberesche, Vogelbeere
Sorbus aucuparia

5. Sanddorn
Hippophae rhamnoides

6. Pfaffenhütchen
Euonymus europaeus

7. Bittersüßer Nachtschatten
Solanum dulcamara

8. Vogelkirsche
Prunus avium

9. Roter Holunder
Sambucus racemosa

10. Gewöhnlicher Schneeball
Viburnum opulus

11. Gelber Hartriegel
Cornus mas

12. Berberitze
Berberis vulgaris

13. Eingriffeliger Weißdorn
Crataegus monogyna

14. Preiselbeere
Vaccinium vitis-idaea

15. Stechpalme
Ilex aquifolium

16. Himbeere
Rubus idaeus

41. Faulbaum
Frangula alnus

42. Gewöhnliche Traubenkirsche
Prunus padus

43. Spätblühende Traubenkirsche
Prunus serotina

44. Schwarze Maulbeere
Morus nigra

45. Brombeere
Rubus fruticosus agg.

46. Felsenbirne
Amelanchier ovalis

47. Wolliger Schneeball
Viburnum lantana

48. Rauschbeere
Vaccinium uliginosum

33. Schlehe
Prunus spinosa

34. Dreispitzige Jungfernrebe
Parthenocissus tricuspidata

35. Efeu
Hedera helix

36. Heidelbeere
Vaccinium myrtillus

37. Gewöhnlicher Kreuzdorn
Rhamnus cathartica

38. Roter Hartriegel
Cornus sanguinea

39. Schwarzer Holunder
Sambucus nigra

40. Liguster
Ligustrum vulgare

17. Berg-Ahorn
Acer pseudoplatanus

18. Robinie
Robinia pseudoacacia

19. Feld-Ahorn
Acer campestre

20. Spitz-Ahorn
Acer platanoides

21. Rosskastanie
Aesculus hippocastanum

22. Rot-Buche
Fagus sylvatica

23. Baum-Hasel
Corylus colurna

24. Walnuss
Juglans regia

25. Gewöhnliche Esche
Fraxinus excelsior

26. Hainbuche
Carpinus betulus

27. Stiel-Eiche
Quercus robur

28. Trauben-Eiche
Quercus petraea

29. Sommer-Linde
Tilia platyphyllos

30. Hänge-Birke
Betula pendula

31. Wild-Apfel
Malus sylvestris

32. Wild-Birne
Pyrus vulgaris

Wolliger Schneeball — Foto: W. Willner

Bildnachweis:
Wolfgang Willner: 1, 2, 4-22, 24-27, 29, 32, 33, 35-43, 45, 47, 48
Helmut Baumann: 30, 31; Gisela Tubes: 23, 46;
(Wikimedia Commons): Julia Workman 3, Nikanos 28, Anton-kurt 34, H. Zell 44

Projektberatung und Zusammenstellung: Bruno P. Kremer

Weiterführende Literatur:
Lüder: Grundkurs Gehölzbestimmung (ISBN 978-3-494-01915-4)
Schmidt/Hecker: Die wildwachsenden und kultivierten Laub- und Nadelgehölze Mitteleuropas (ISBN 978-3-494-01800-3)

ISBN 978-3-494-01554-5
Best.-Nr.: 494-01554
www.quelle-meyer.de

9 783494 015545

QUELLE & MEYER BESTIMMUNGSKARTEN